LLYFR HWYL y LOLfa

LLYFR HWYL Y LOLFA

HUW AARON

y Lolfa

Argraffiad cyntaf: 2013

Dymuna'r cyhoeddwyr gydnabod cymorth ariannol
Cyngor Llyfrau Cymru

Rhif Llyfr Rhyngwladol:
978 1 84771 704 7

y lolfa

Cyhoeddwyd, argraffwyd a rhwymwyd yng Nghymru gan
Y Lolfa Cyf., Talybont, Ceredigion SY24 5HE
e-bost ylolfa@ylolfa.com
gwefan www.ylolfa.com
ffôn (01970) 832 304
ffacs 832 782

CROESO I LYFR HWYL Y LOLFA!
(Cyn i chi droi'r dudalen a dechrau darllen, well i chi wisgo eich het ddwl!)

i'r un bach

Tudalen Cynnwys

Pethau Dwl,
Tudalennau
1-96

CAPTEN CLONC
ARWR HARDDA'R BYDYSAWD!
Ha! Fi yw Capten Clonc! Dwi'n olygus ac yn gryf ac..yn...ym.. olygus! Dwi'n amddiffyn y gofod rhag pethau drwg a hyll! Ha!
Fi wnaeth guro'r Octo-cŵn o'r blaned Plwmpi-Pwmp!

A fi drechodd y Twrch Atomig.
Ha!

...a phwy all anghofio fy mrwydr gyda'r Cawr-Bot Grom-95(d)?

Ie, fi wnaeth gyflawni'r holl gampau yma ar fy mhen fy hun.
Ha!
... heb gymorth unrhyw un arall o gwbl!
Beth?!
Doctor Dŵ-dŵ, hen ffrind ffyddlon! Dyna ti! Ble wyt ti wedi bod yn cuddio?
Yrc!
CUDDIO? Dwi 'di bod yma yn y labordy yn gweithio ddydd a nos yn creu arfau i dy helpu di.
Fy nyfeisiadau i wnaeth ennill yr holl frwydrau yna i ti – yr Haearn-Esgid, y Trydamburin, y Siwt Gwrth-Ffrwydrad...

Nawr, gad i mi esbonio sut mae'r teclyn newydd yn...
Diflas!
Dwi'n mynd i'r parc. ta-ta!
Grr!
Fi sy'n gwneud y gwaith i gyd – heb fy nyfeisiadau anhygoel, fydde Capten Clonc yn DDIM BYD!
Rhyw ddydd... mi ddangosa'i i'r byd pwy yw'r arwr mawr. Fi, Doctor Dafydd Dŵ-dŵ...
CNOC CNOC
Dwi 'nôl! Wnest ti fy ngholli?
SBLAT!
ACH!
Pa gynlluniau sydd gan y doctor? Beth ddigwyddith i Gapten Clonc? A sut mae e'n gallu ffitio'i grys dros ei ên? Ffeindiwch mas tro nesa!

TUDALEN DDWL
Mr. Snoti ap Diflas
Mae'r dudalen yma yn llawer rhy ddwl. Dwi'n gadael!
Mae gen i bensil hud. Mae'n cadw teigrod i ffwrdd.
Ond does dim teigrod yma!
Mae'n gweithio, felly!
Pa siop yw honna?
Stâr-bucks!
Sut alla i atal fy nghi rhag cyfarth yn yr ardd gefn?
Rho fe yn yr ardd ffrynt!
Mam! Mae'r jig-so yma'n rhy anodd!
Nid jig-so ydy hwnna.
Crisbi cnwd

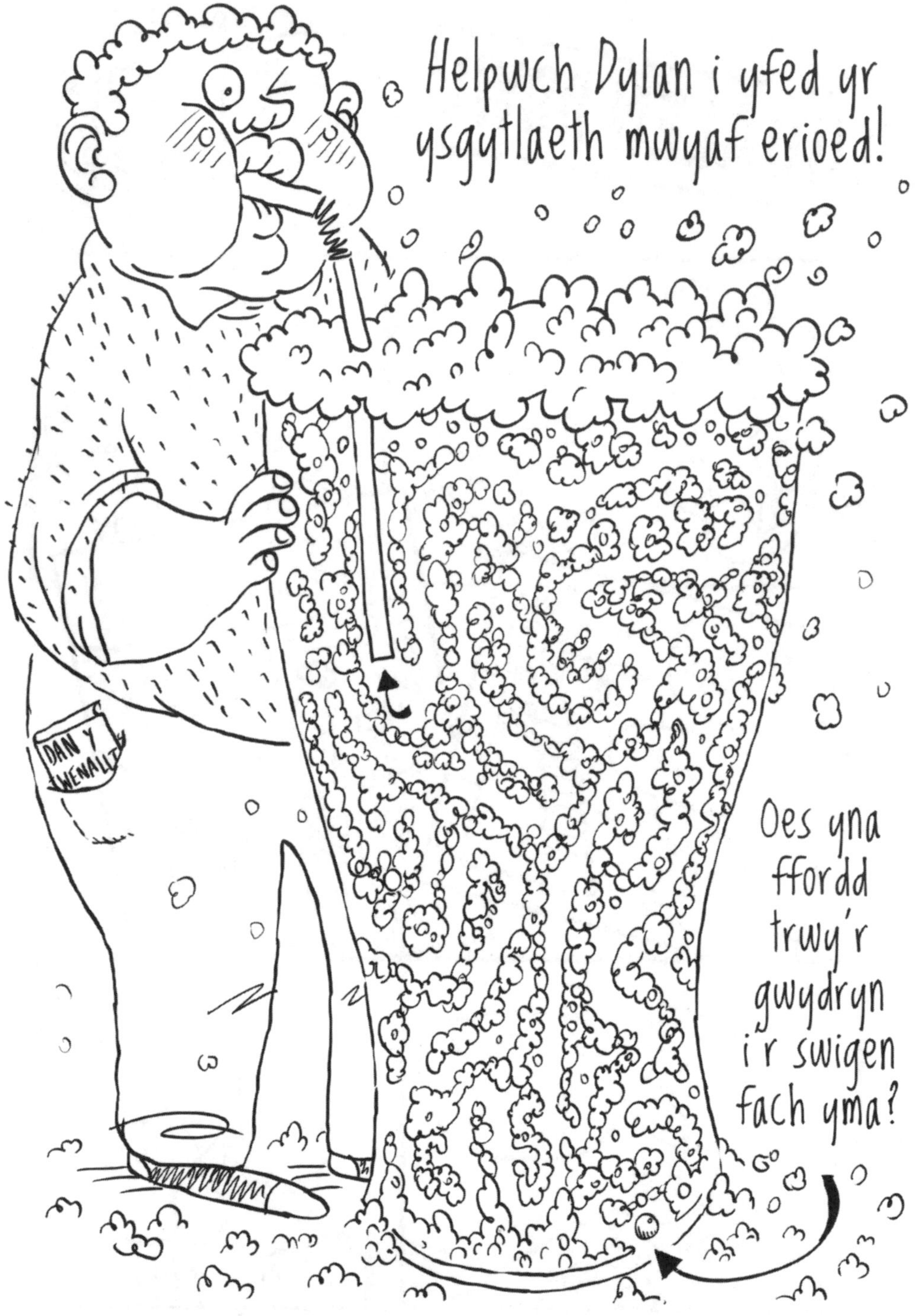
Helpwch Dylan i yfed yr ysgytlaeth mwyaf erioed!
DAN Y WENALLT
Oes yna ffordd trwy'r gwydryn i'r swigen fach yma?

Y GOEDEN ANFODLON
Mae blodau'n neud i mi disian, mae'r adar yn swnllyd ac mae'r wiwerod yn neud pŵ-pŵ drosta i.
Dwi'n casáu bod yn goeden.
GWANWYN

CAR-TWNAU

Dwi'n gallu gweld y môr!

Mae rhywbeth rhyfedd wedi digwydd i fy nghar.

BLOBEN

Ble Mae Syr Occo?

Syr Occo yw'r marchog mwya dewr yn y deyrnas, ond mae e ar goll yng nghanol yr holl ryfelwyr. Defnyddiwch y ffeithiau isod i ddarganfod pwy 'di pwy!

Mae gan **Syr Occo** groes ar ei darian.
Dyw **Syr Cas** ddim yn hoffi Syr Thiedig.
Mae **Syr Fiét-Gwyn** newydd golli ei blu.
Mae **Syr Iol** yn sefyll gefn wrth gefn â Syr Lwyn.
Cysgu yw prif diddordeb **Syr Bwch** diog.
Mae **Syr Thiedig** yn hoffi blodau.
Druan â **Syr Jant-Mejyr**, mae'n cuddio tu ôl i'w darian.
Syr Lwyn sy'n ymladd Syr Fiét-Gwyn.
Mae **Syr Ffed** yn gwisgo ei helmed y ffordd anghywir.
Hoff arf **Syr Tynli-Madam** yw'r bwa a saeth.
Mae **Syr Does** yn defnyddio'r un arf â Syr Cas.
Mae **Syr Tifficet** yn hoff iawn o adar.
Mae gan **Syr Nam** yr un llun ar ei darian â Syr Lwyn.
O diar! Mae **Syr Inj** wedi ei anafu mewn lle poenus iawn!
Mae **Syr Ongflodeuog** yn ymladd yn erbyn Syr Does.
Mae **Syr Préis** yn hoff o wisgo lan.

Cliw: Bydd rhaid i chi enwi pob un o'r marchogion i ffeindio Syr Occo!

Mi gwrddais i â merch fach ddel.
Ymhle?
Lawr ar lan y môr!
Ymhle?
Lawr ar lan y môr.
Ymhle?
Wyt ti'n fyddar neu'n dwp?!
Gofynnest ti am gusan fach?

CROESO I FWYTY Le Ych-a-fi
Gweinyddwr! Mae 'na fwydyn yn fy nghinio!
Peidiwch â phoeni, syr. Does yna ddim tâl ychwanegol.
Gweinyddwr! Mae 'na lygoden fawr o dan y bwrdd!
Gweinyddwr! Mae 'na lygoden yn fy nghawl!
Mae'n iawn, syr. Does 'na ddim digon i'w foddi e.
Mae'n flin gen i, ond dylech chi ddim dod ag anifeiliaid anwes i mewn i'r bwyty.
Gweinyddwr! Mae 'na froga ar fy mhlat!
Sssh! Neu bydd pawb eisiau un!
Gweinyddwr! Mae 'na ddau fwydyn ar fy mhlat!
Selsig yw'r rheina, syr.

BRWYDRAU EPIG CYMRU
GELERT
VS
BABI
TYWYSOG LLYWELYN FAWR
O Gelert, rwyt ti'n gi mor ffyddlon a dewr. Gwylia dros fy mabi tra dwi i ffwrdd yn McDonalds, ym...na...yn hela.
Babi eisiau mynd i hela hefyd! Dim moyn ci stinci edrych ar ôl babi!
Babi yn...
GRAC!
BABI CICIO CI TWP!
WAP!

BABI CNOI CI!
BAP!
BABI PWNO CI!
BABI TAFLU ORENNAU AT Y CI!
POC!
BABI NEUD CIC CARATE!
Blino...
?
Dwi adre! Pawb yn iawn?
Babi methu gweld dim!
Gelert! Wyt ti wedi llyncu'r babi?
Da iawn ti!
Grr! Ci Stinci!
ENILLYDD: GELERT

Pa ffordd sy'n arwain at y caws?
1
2
3

CYNGOR AR BOPETH

1. BETH I'W WNEUD GYDAG iPAD SYDD WEDI TORRI.

YN CYFLWYNO...
PWDU-MAN
Y Newyddion: Mae dyn wedi cwympo o'r tŵr enfawr. All rhywun achub y person anffodus yma?
Beth amdanat ti, Pwdu-Man?
Pwy all helpu? Pwy? PWY?
Na, Mami. Fi'n teimlo'n rhy drist heddiw.
Ga i bitsa arall?
Pwy? Pwy? Pwwwy?
Aw.
FALLE TRO NESA, PWDU-MAN!

Yn tro, roedd yna dywysoges brydferth iawn. Hi oedd y dywysoges bertaf yn y byd. Roedd hi'n garedig a hyfryd, ac yn lledaenu hapusrwydd a llawenydd ym mhobman. Yn anffodus, un diwrnod fe wnaeth octopws ei bwyta hi.

Y diwedd.

Leusa a'r
BALŴN HUD
Ffwrdd â ni!
Tybed ble fydd y balŵn hud yn mynd â fi heddi?
Falle i Jyngl yr Amason? Neu adfeilion Machu Picchu, neu fynydd Kilimanjaro?
Efallai i Efrog Newydd, neu i byramidiau'r Aifft hyd yn oed?
Dyma ni'n glanio!
O.
Canolfan Gwastraff Cyhoeddus Y Tyllgoed.

Mae Capten Clonc yn styc mewn traffig ar draffordd draws-alaethol yr M4000000, wrth ddilyn llong ofod y lleidr enwog, Hana Sola.
Ble mae Clonc? Â ble mae Hana?

DIWRNOD ALLAN

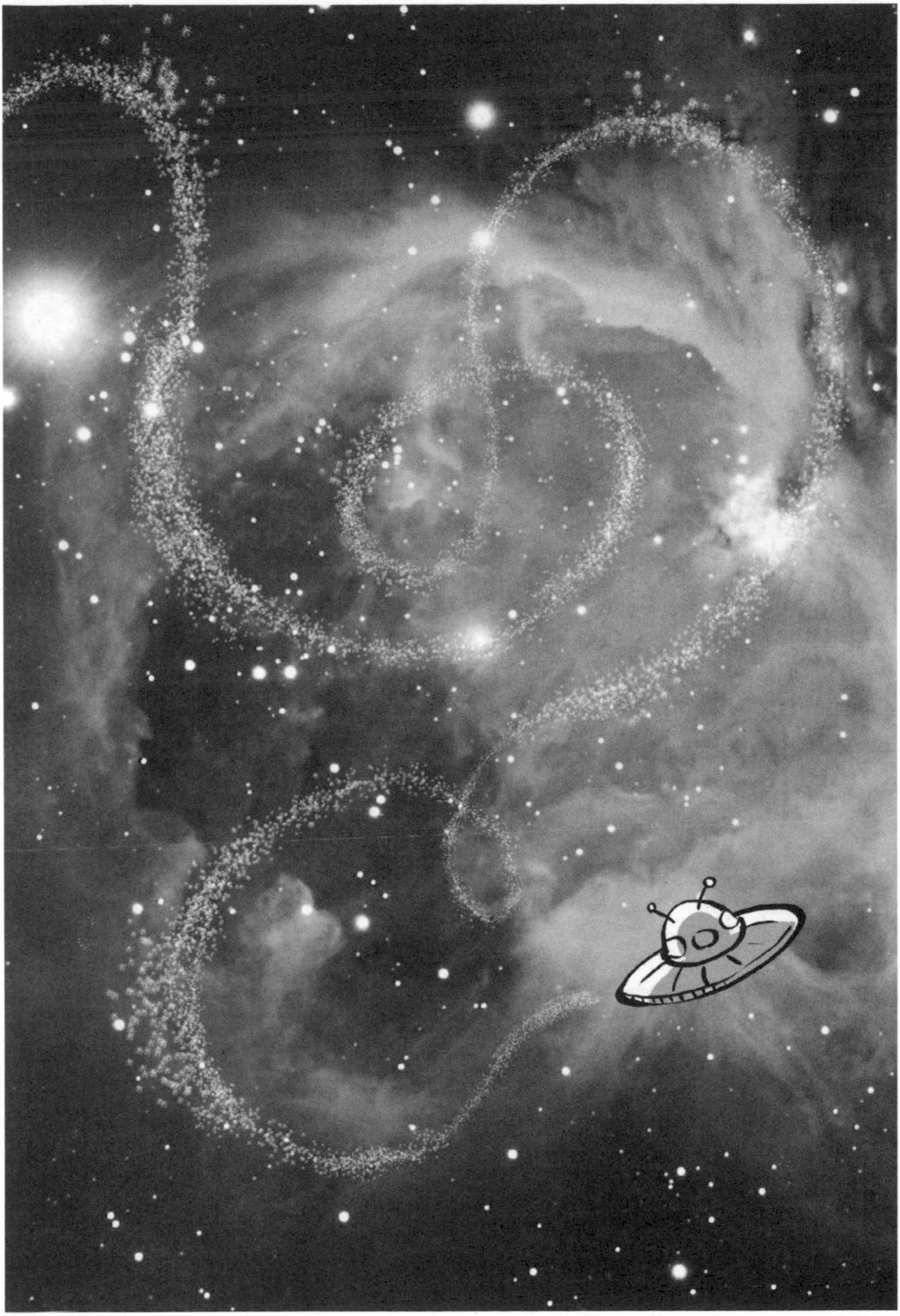

BLE AR WYNEB Y DDAEAR WYT TI WEDI BOD?!

Y GOEDEN ANFODLON
Dwi'n methu symud, dwi'n bored, mae'r haul yn boeth ac mae'r wiwerod yn dal i neud pŵ-pw drosta i.
Dwi'n casáu bod yn goeden.
HAF

Dirgelwch y Tŵr

Syr Occo! Mae'r Dewin Drwg wedi cymryd y Dywysoges! Dyma nodyn fydd yn ein helpu i ddod o hyd iddi.
A plis wnei di beidio gafael yn fy marf? Mae'n brifo!

Annwyl Farchog Dewr
(a golygus, gobeithio!)
Plis dere i fy achub o
gastell y Dewin Drwg.

Dyma lun o'r
tŵr dwi ynddo. →

← A dyma dŵr y
Dewin Drwg,
os wyt ti'n
edrych am ffeit.

Hwyl! Y Dywysoges xxx

Wel, dyma'r castell. Ond ble mae'r dywysoges?

tudalen jôcs gwael mr Brwsh →

Pa gi sy'n hoffi golchi ei wallt?

SHAMPWDL!

Beth yw hoff basta arth fach?

TAGLIA-TEDI!

Beth oedd enw'r gwerthwr sandalau o Ffrainc?

PHILLIPE FLOP!

Sut ydych chi'n dechrau ras rhwng dwy dorth?

AR EICH MARCIAU, BARA, EWCH!

Beth ddigwyddodd i'r darn o fara a gwympodd i mewn i'r tostiwr?

GATH E BEN TOST!

Pwy sy'n dew ond yn rhedeg can metr mewn llai na deg eiliad?

USAIN BOL!

Pam oedd y bachgen yn brwsio ei ddannedd gydag wy siocled?

Roedd e'n defnyddio PASG DANNEDD!

Beth gei di os wyt ti'n croesi dewin gyda buwch?

HUD A LLEFRITH!

BLOBEN

Mae gan Doctor Dŵ-Dŵ ben tost, felly mae e wedi lleihau Capten Clonc a'i anfon i mewn i'w drwyn i chwilio am y rheswm. Ydych chi'n gallu darganfod achos y poen, ac wedyn ffordd allan o ymennydd enfawr y doctor?

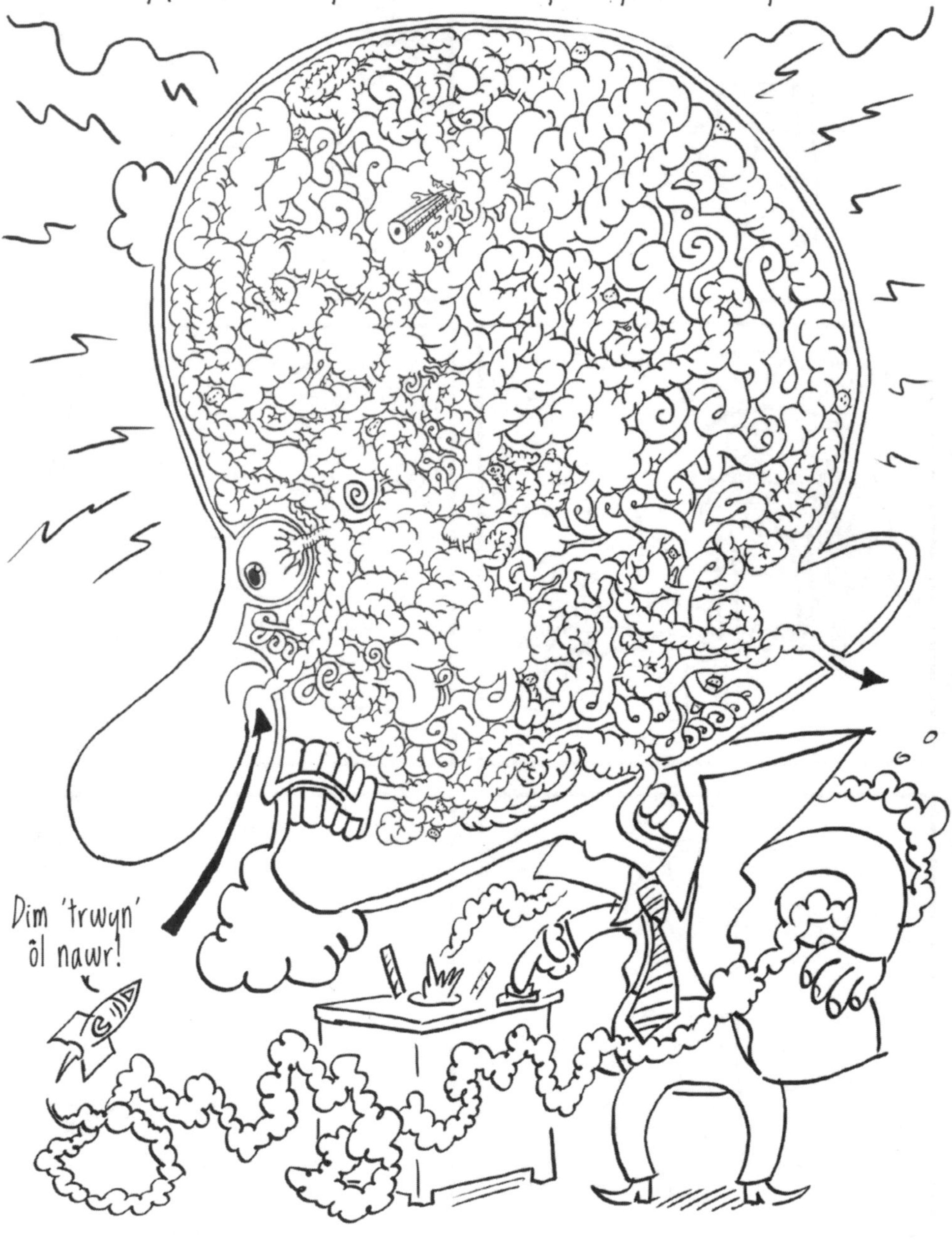

Nid wy'n gofyn bywyd moethus
Aur y byd na'i berlau mân...
Gofyn wyf am Ferrari!
FI 1

BREUDDWYD PWDUMAN
Nos da, Mami.
Nos da, Pwdu-Man. Cysga'n dawel.
Fi yw Neifion, Brenin y Môr! Mae'r pysgod yn fy adnabod ac yn crynu gan ofn!
Na. Ddim rili. Pam wyt ti yn dy bants?
O, mae'r freuddwyd yma'n waeth na'r byd go iawn. Mae hyd yn oed crwbanod y môr yn chwerthin ar fy mhen.
Ha ha ha!
Hei! Beth yw hwnna, bysgodyn bach hyll?
Pêl disgo, Pwdu-Man

WEL, PAM NA WEDOCH CHI?!
Dwi'n
CARU
DISGOOOOO!
Roedd bywyd yn well gyda barf.

JÔCS O'R TYWYLLWCH!
Pa bwdin mae ysbryd yn hoffi?
Hufen IAAAAAAAA!
Pam mae'r fampir yn byw mewn arch?
Achos mae'r rhent yn rhesymol iawn.
Pam mae gwrachod yn hedfan ar ysgub?
Mae hwfer yn rhy drwm!
Beth sy'n borffor ac yn flewog ac yn mynd lan a lawr trwy'r dydd?
Anghenfil mewn lifft!
Beth yw hoff fiwsig Draciwla?
Cerdd DANT!
Glywsoch chi am y wrach oedd â'i thrwyn wyneb i waered?
Pob tro roedd hi'n tisian, roedd ei het yn chwythu i ffwrdd!

Does neb yn gadael y dosbarth tan i fi ffeindio mas pwy wnaeth hwn!
Syr

Helô blant! Fi yw COESAU CAWS!
Dwi'n hoffi dawnsio a chanu yn llon! Dyma fy hoff gân...
Gwranda, Syr neu Fadam, Sbia ar fy nghoesau i Mae 'mhengliniau'n beli Edam A fy nhraed 'di neud o Brie.
Coesau Caws! Coesau Caws! Mae bywyd yn haws gyda choesau caws!
Paid dweud fy mod yn sili, Mae gen i goesau del! Dwi'n rhedeg ar Gaerffili Ac ma 'mhen-ôl i'n Babybel!
Coesau Caws! Coesau Caws! Mae bywyd yn haws gyda choesau caws!

O NA! Mae'r Octopws Drwg eisiau Pwdu-Man ar dost. Helpwch ein harwr dewr i ddianc trwy'r sleisen enfawr yma o gaws.

Yn gyflym!

Caws enfawr? Octopws?

CYNGOR AR BOPETH

2. SUT I FWYTA'N DACLUS.

BRWYDRAU EPIG CYMRU
Y DDRAIG GOCH
VS
CENHINEN
Aros funud, dyw hyn ddim yn deg. Ydw i'n cael mynegi barn ar y mater?
Pam na all Cymru gael dau eicon cenedlaethol?
ENILLYDD: DRAIG

FFAITH: MAE MWYDOD A MALWOD AR BEN EU DIGON YN RHANNU JÔCS - YN ENWEDIG JÔCS SEIMLLYD!

Mae Trebor y Twrch yn ffoi rhag Josgin Jac! Ydych chi'n gallu ei helpu i ffeindio'r ffordd at ei deulu a'i ffrindiau bach?

PWDU-CATH
Beth sy'n bod, Pwdu-cath?
Dwi'n drist.
Ti eisiau pysgodyn enfawr?
Wyt ti'n hapus nawr, Pwdu-cath?
Na.

BLOBEN
CYMRU 10
LLOEGR 9
79:59
10

CAPTEN CLONC
"FFLASG O DRWBWL"
Dwi am fynd ar antur! Gwna fflasg o de i fi plis, Doc.
Grr... mae e'n fy nhrin i fel caethwas! Neu, yn waeth, fel ei fam! Wna i ddial rywsut...
TE
Dwi'n gwybod. Bom! Yn y fflasg! Bydd e'n cael mwy na siwgr a llaeth yn ei baned heddi! Ha ha ha!
Dyma'r 'te'...Ha ha ha ha ha ha!
Te doniol?
O, ie. Ha ha ha! Te doniol iawn!
Ha ha!
Wel, er bod hyn yn hwyl, rhaid imi fynd. Fflasg 'di pacio, petrol yn y tanc. Pi-pi glou a dwi off.
DRWS CEFN
Ta-ta, Clonc...AM BYTH! Ha ha ha ha!

Antur, antur, dyna hwyl, i ffwrdd â fi ar antur.
Ymhen 5 munud...
O, dwi'n bored. Mae'r antur yma yn ddiflas mor belled.
Dwi 'di blino'n lân. Ond wna i ddim cwympo i gysgu.
Ymhen 30 eiliad...
PERI
Hmff?

O, diar.

O'r diwedd, rydym ni, Undeb yr Estronwyr Drwg Iawn Iawn, wedi dy ddal di, Capten Clonc! Oes gen ti un dymuniad olaf cyn i ni dy saethu?
Wel, mae paned o de wastad yn neis mewn sefyllfa fel hyn.
Mae gen i fflasg wedi'i pharatoi gan fy ffrind annwyl, Dr Dŵ-Dŵ.
Iawn. Un baned gyflym, wedyn amser saethu. Crafangbot, agora hwn.
BŴM!
Ha! Dyna ddiwedd ar Clonc!
BŴM!
Oedd y doctor yn llwyddiannus? Ydi hi ar ben ar ein harwr dewr? Falle gewch chi'r atebion yn y rhan nesa...

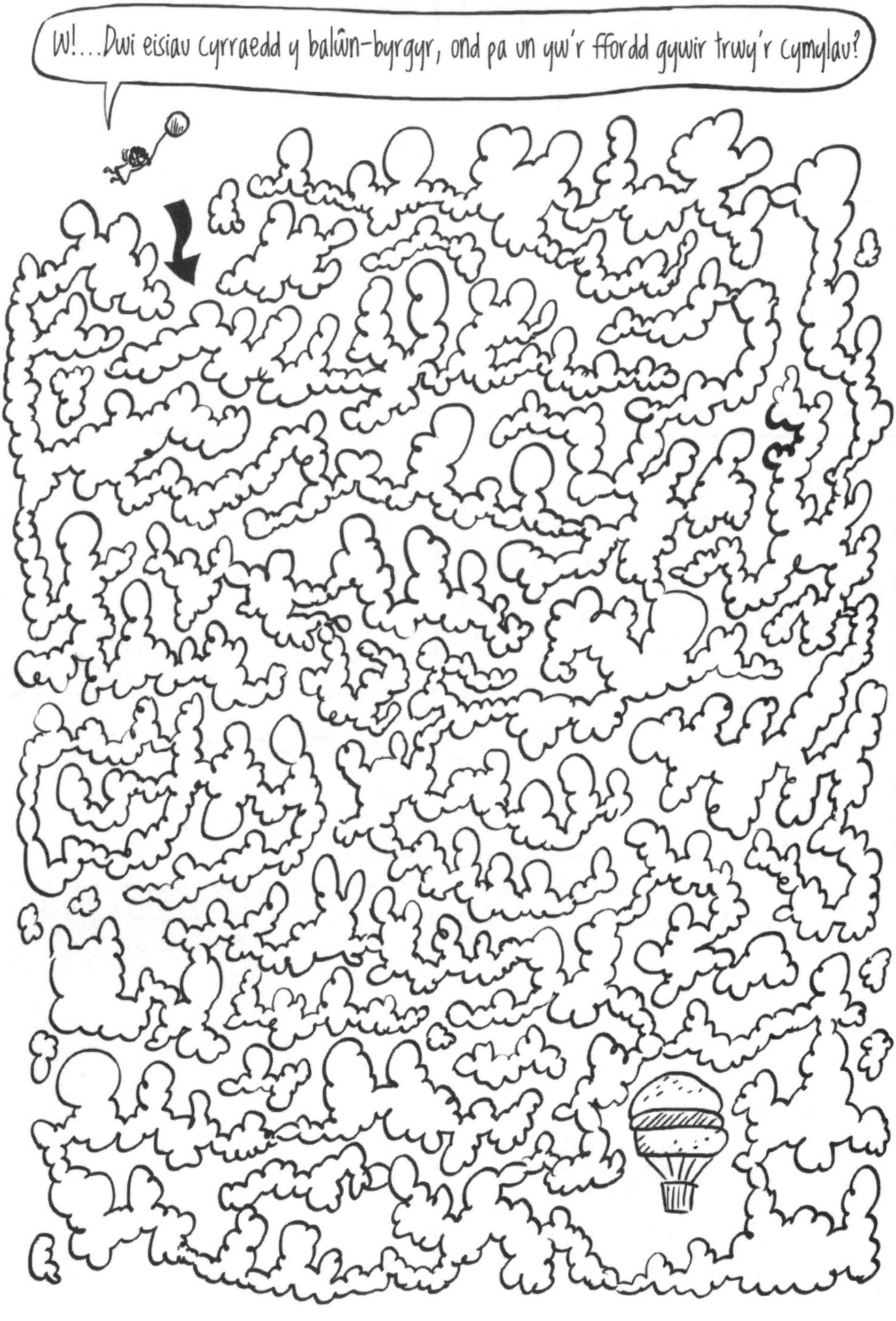
W!...Dwi eisiau cyrraedd y balŵn-byrgyr, ond pa un yw'r ffordd gywir trwy'r cymylau?

MWY O JÔCS DWL!

Caffi
Paned o de, plis.
Wrth gwrs! Dwy bunt pum deg os gwelwch yn dda.
Ga i ddweud gymaint o bleser yw hi i weini arnoch chi? Anaml iawn rydyn ni'n cael gorilas yn y caffi.
Dwi ddim yn synnu – mae'r te 'ma'n ofnadwy!

PEN BENDIGEIDFRAN
Gofynnwch unrhyw gwestiwn i'r hollwybodus Bendigeidfran, ac fe gewch ateb doeth.
Beth yw eich cwestiwn i Bendigeidfran?
O, Ben Ddoeth Bendigeidfran, Beth yw ystyr bywyd?
Hmmm...
PI-PI PŴ-PŴ TOILED!

O na! Mae'r mwydod wedi ymglymu eto!
Rhowch gymorth iddyn nhw ymddatod.

Un tro, fe wnes i gusanu MÔR-FORWYN.
Hanner menyw a hanner pysgodyn!
Yn anffodus, yr hanner anghywir.

Brwydro'r Bwystfil

Mae Syr Occo wedi llwyddo i achub y dywysoges, ond mae anghenfil enfawr yn atal eu ffordd allan o gastell y Dewin Drwg. Beth yw'r anghenfil? A sut all Syr Occo ei guro? Dyma dudalen handi o'r llyfr enwog, 'Ymladd Angenfilod i Ddysgwyr' i'w helpu.

Ellyllgawr – Mae gan yr Ellyllgawr ddeg o lygaid, pedair adain a thair coes. Yr unig ffordd i'w ladd yw ei drywanu yn ei drwyn.

Chwyrngoran – Mae'n rhaid mynd heibio dannedd mawr, crafangau hir a phedair braich y bwystfil a rhoi ergyd i'r ymennydd agored i ladd y creadur hyll yma.

Gwenwyngi – Dim ond trwy drywanu unig lygad yr anifail bach pedair coes yma gall marchog ennill y frwydr.

Llyffarth – Anghenfil enfawr, arswydus yw'r llyffarth, gyda channoedd o ddannedd miniog, adenydd fel ystlum, a deuddeg o lygaid dros ei gorff. I'w guro, bydd rhaid i'r arwr hollti ei dafod hir.

Crancafanc – Dyma un o'r angenfilod mwyaf anodd i'w guro. Gyda'i adenydd, pedair coes, deg o lygaid a dau gorn mawr, dim ond ei gynffon sy'n wan.

Y Clêr Drwg

BANC
Ha! Bzzzzz! Dwyn dwyn dwyn!
Sneb yn mynd i'n dala ni nawr!
I Barbados â ni! Bzzz!
BANC
McDANTAITH
Ach!
Yc!
Wel, helô. Wastad yn neis cwrdd â ffrindiau newydd ar y we.
O na! nid...
PRY COP!
Iyp.
Does neb yn dianc o afael wyth coes y gyfraith.
Dewch gyda fi, bois.

CYNGOR AR BOPETH

3. SUT I GUDDIO ANGHENFIL.

PWDU-MAN A'R ANGHENFIL

PWDU-MAN! DEFFRA! MAE YNA ARGYFWNG ENFAWR!
Beth yw e, Mami?
Dwi wedi llosgi'r uwd eto! Ac hefyd, mae anghenfil yn difrodi Caerdydd.
TI WEDI LLOSGI'R UWD?! GRRRRRRBANT!
DONC!
Hwrê!
Ddim yn hoffi miwsli.
Hwrê!

Y GOEDEN ANFODLON
Mae fy nail i gyd yn cwympo bant, a...
HEI! Be ti'n neud? PAID!
HYDREF

CAR-TWNAU 2

BRWYDRAU EPIG CYMRU
COESAU CAWS
VS
PWDUCATH
O mae'n ddiwrnod o haf, ac mae popeth mor braf.
Wel, sut mae, gath fach bert? On'd yw hi'n ddiwrnod hyfryd!
Na.
Wyt ti'n pwdu, gath fach bert?
Na.
Wna i wneud iti wenu – trwy rym fy nawnsio arbennig!

SBLAT!
ENILLYDD: COESAU CAWS
PC

Jôcs yn y JYNGL
Beth wyt ti'n galw gorila gyda bananas yn ei glustiau?
Unrhyw beth rwyt ti eisiau – dyw e ddim yn dy glywed di!
Beth sy'n wyrdd ac yn seimllyd ac yn hongian o'r coed?
Snot jiraff!
Pa fath o gi sy'n byw yn y jyngl?
MWN-CI!
Beth sy'n ddu a gwyn ac yn swnllyd iawn?
Sebra yn chwarae'r drymiau!

BLOBEN
SIOP HETIAU
AGOR
57

CHWILOTAIR Y GWENYN

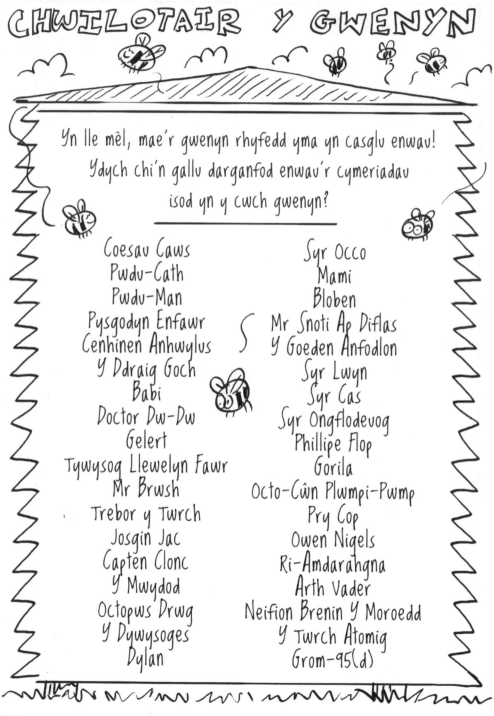

Yn lle mêl, mae'r gwenyn rhyfedd yma yn casglu enwau! Ydych chi'n gallu darganfod enwau'r cymeriadau isod yn y cwch gwenyn?

Coesau Caws
Pwdu-Cath
Pwdu-Man
Pysgodyn Enfawr
Cenhinen Anhwylus
Y Ddraig Goch
Babi
Doctor Dw-Dw
Gelert
Tywysog Llewelyn Fawr
Mr Brwsh
Trebor y Twrch
Josgin Jac
Capten Clonc
Y Mwydod
Octopws Drwg
Y Dywysoges
Dylan

Syr Occo
Mami
Bloben
Mr Snoti Ap Diflas
Y Goeden Anfodlon
Syr Lwyn
Syr Cas
Syr Ongflodeuog
Phillipe Flop
Gorila
Octo-Cŵn Plwmpi-Pwmp
Pry Cop
Owen Nigels
Ri-Amdarahgna
Arth Vader
Neifion Brenin Y Moroedd
Y Twrch Atomig
Grom-95(d)

S E A T L P I T D F C L A M N R I N G W
M T S M O C T O C W N P L W M P I P W M P
A W T P R O P O C A R T H V A D E R P A I D
G E N S C A W S O P I H O P P I P O A B
N C A L Y N Y G O E D E N A N F O D L O N W
R O E D D O C H W T H S A C H B A C H T Y
Y N L L A E T H A Y R A N G H E N F I L A F
A G Y N B A I R A G E Y O S A M A L O T O
D D D E W I S A Y D A B D F Y G M F E R I N
O W A E L C R P Y S G O D Y N E N F A W R
E C S A T I O Y D O Y L R R P G L S C B Y D
R T Y C G E D I N M U Y A A R E Y E R W
G O O R M A E S W F W W N T I M O R R N A R
O M R O H A F A I L A Y E W G P M T L Y S
N R R D E P W D U M A N D D R G A 9 P W L I
S I B W O W M G C Y S F O I C O M 5 O Y N
I S L R D S D A O A N O B D P H C P D M N I
O Y A W W N U I N W H F L O M P H M I A
F Y R B S F F C R A S Y R O C C O N D C I
G L C A H U M A M I H T I B M H A F P A
S R Y A B N E D T A C I A F E P O P L L N
Y I D S I C E N H I N E N A N H W Y L U S
W R A Y M Y A D I O L C H R O B I I N T W
F O M W A I P Y N F A W R B T R L G R
Y P N D Y E A T B O B I R E R D Y L A N T G
N R G A S L E E H O L N E S S I W Y
B G Y F R O G O N L O L F A O B Y P C
D H C L A G W O C T O P W S D R W G E W W
I I A O O H E N P L M E I N I R E T H F W A
N A R P D G S N J O S G I N J A C W B L P
P G I E M Y E A N S I S I A L R M O O R
L W Y D U A T I A C W Y N A Y B W O C P
O T Y W Y S O G L L E W E L Y N F A W R F F
C R C A I W G H L A A U R A T A D I D Y R
N E I F I O N B R E N I N Y M O R O E D D W
U K D O W E N N I G E L S U S O M B I U N

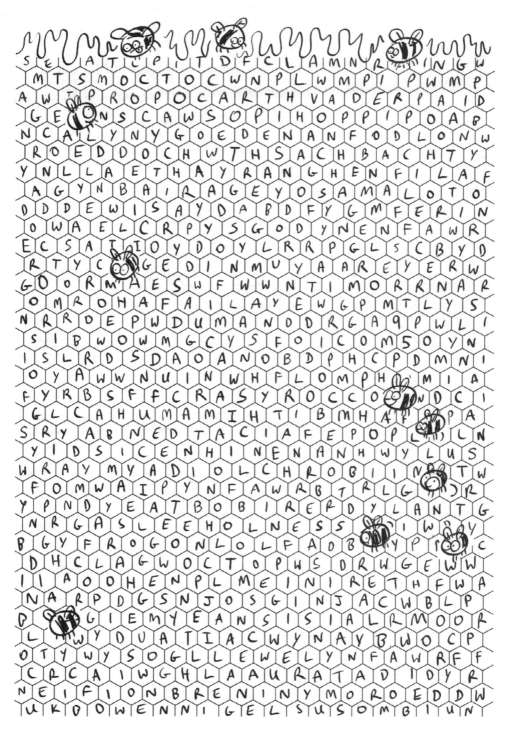

Mae ffeit enfawr ar y cae rygbi! Ond mae'r dyfarnwr, Owen Nigels, wedi colli ei chwiban, ei gardiau a'r bêl! Allwch chi helpu Owen druan i ddod o hyd i'w eiddo pwysig?

Dacw ti yn eistedd, y deryn du,
Brenin y goedwig fawr wyt ti.
Cân, dere deryn, cân dere deryn,
Dyna un hardd wyt ti.
AD AR
Dwi'n bengwin!

Yn tro, roedd yna octopws prydferth iawn. Hwn oedd yr octopws harddaf yn y môr. Roedd yn nobl a chyfiawn, yn ffrind i bawb, ac yn rhoi yn hael i achosion da. Yn anffodus, un diwrnod fe wnaeth e dagu wrth fwyta tywysoges.

Y diwedd

TUDALEN I'W LLIWIO!

Lliwiwch y llun yma o arth ddu mewn ogof dywyll!

GWYLIAU GWIRION

Hapus am byth...?

Wedi curo'r anghenfil a dianc o'r castell, mae Syr Occo a'r Dywysoges yn rhydd o'r diwedd...

TUDALEN O JÔCSSSSSSS!

Y GA[illegible] AN[illegible]

Sgyrsiau Sili
Wnes i adeiladu fy nhŷ fy hun.
Ble mae e'n brifo?
Mae'n edrych yn gwmws fel ei dad.
Dwi'n methu siarad yn hir - mae tarw yn rhedeg ar fy ôl i.

DOCTOR DŴ-DŴ!
Gwyddonydd Mwya Golygus y Bydysawd!
Ahh, heddwch pur. Neb i orchymyn fi i goginio, creu arfau na sgrwbio'r llawr. Fi yw arwr y stori nawr!
PITSA
Haia Doc!
Clonc? Ond...wnest ti chwythu lan!?
Wel, mi oedd yna rhyw ffrwydriad od. Ond, yn ffodus, roeddwn i'n gwisgo'r siwt gwrth-ffrwydrad wnest ti imi.
...Felly ti wnaeth achub fy mywyd!
Dere 'ma, Doc!
Ffrindiau gorau am byth!
...Nawr, beth am iti goginio rhywbeth bach neis i ddathlu?

Diolch yn fawr i Meinir Edwards am brawfddarllen, cywiro a'r adborth, i Lenyddiaeth Cymru am annog, ac i Luned, am dy holl gefnogaeth.
MEWN HEDD
OCTOPWS

ATEBION!

TUDALEN ATEBION

Ar gyfer pobl rhy dwp i ddatrys y posau heb help!

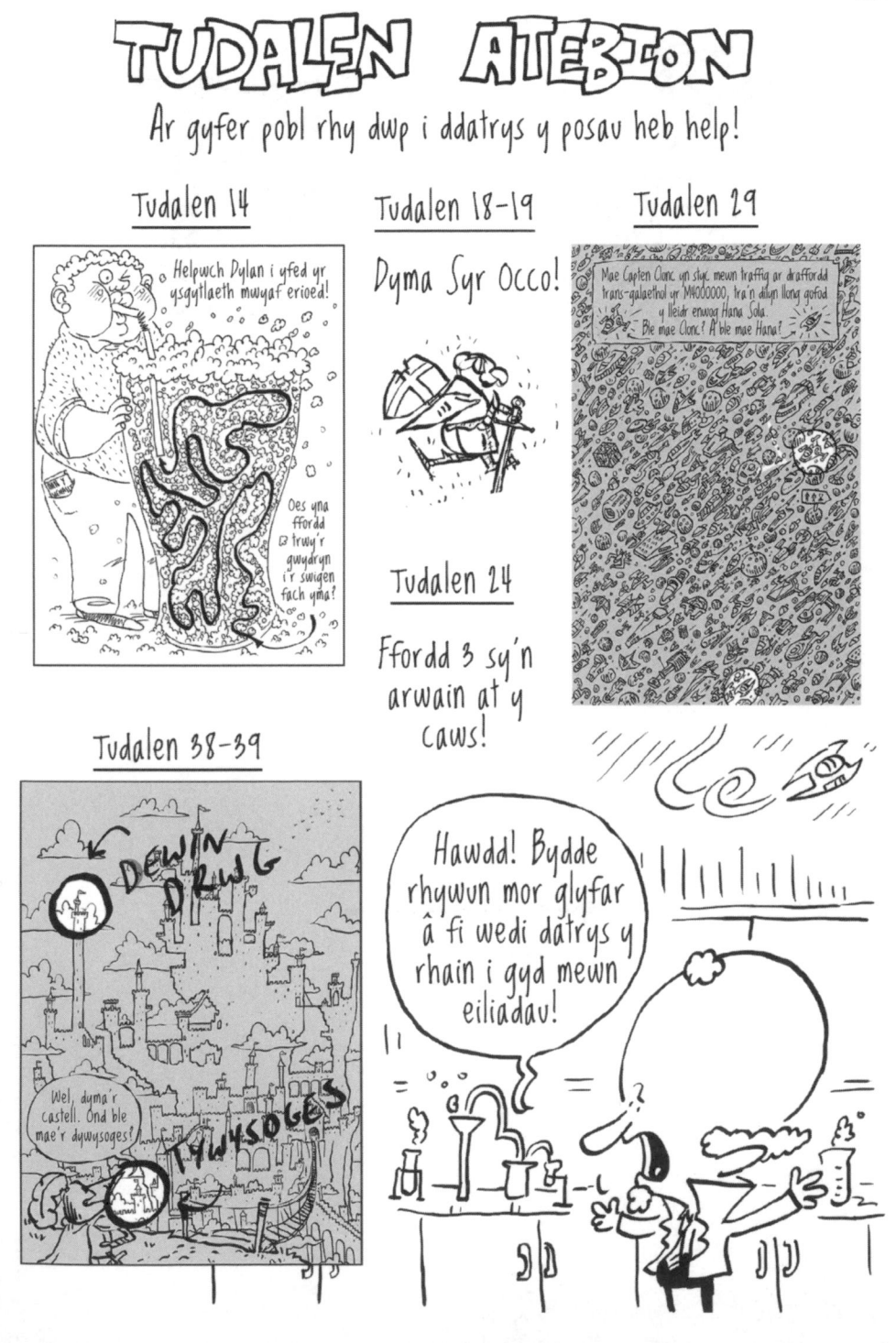

Tudalen 14

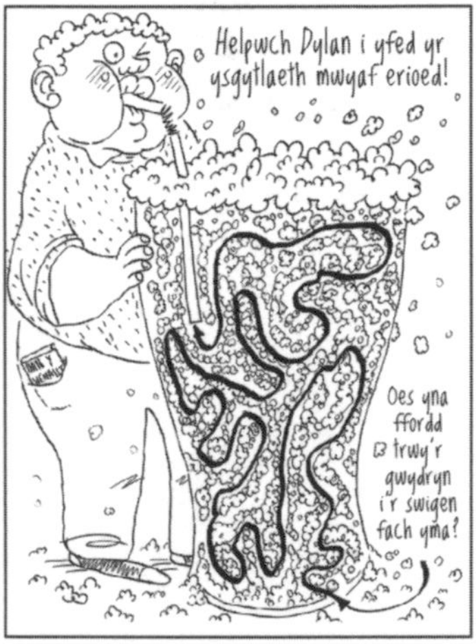
Helpwch Dylan i yfed yr ysgytlaeth mwyaf erioed!
Oes yna ffordd trwy'r gwydryn i'r swigen fach yma?

Tudalen 18-19

Dyma Syr Occo!

Tudalen 24

Ffordd 3 sy'n arwain at y caws!

Tudalen 29

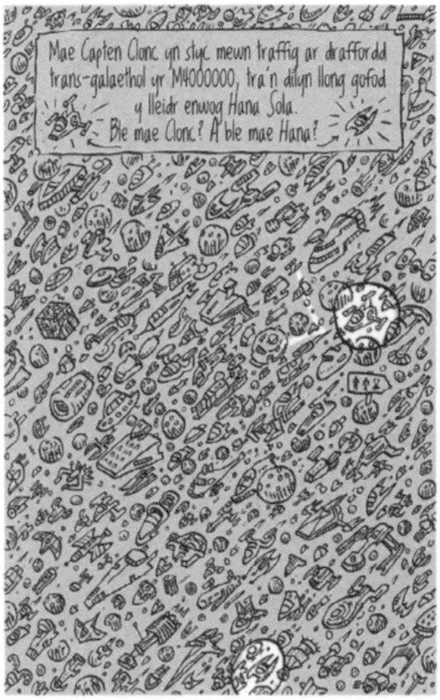
Mae Capten Clonc yn styc mewn traffig ar drafford trans-galaethol yr M4000000, tra'n dilyn llong gofod y lleidr enwog Hana Sola.
Ble mae Clonc? A ble mae Hana?

Tudalen 38-39

DEWIN DRWG
Wel, dyma'r castell. Ond ble mae'r dywysoges?
TYWYSOGES

Hawdd! Bydde rhywun mor glyfar â fi wedi datrys y rhain i gyd mewn eiliadau!

TUDALEN ATEBION

Tudalen 42

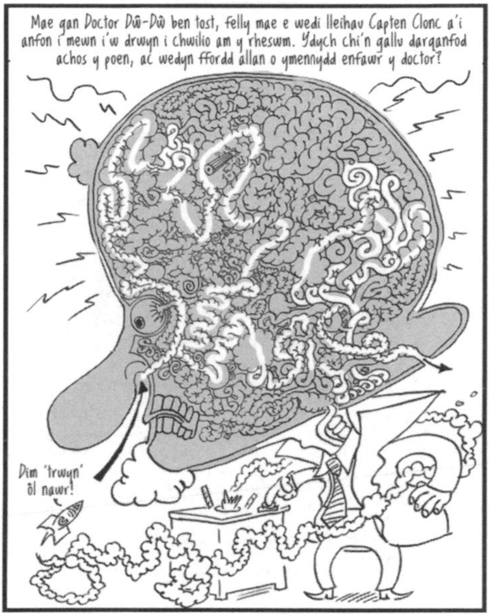

Tudalen 49

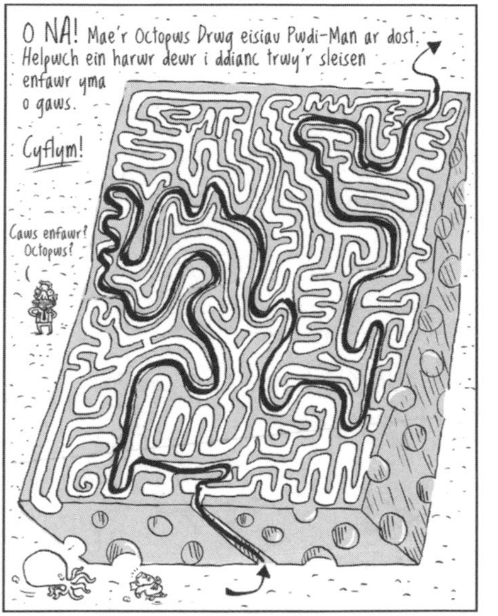

Tudalen 53

Tudalen 60

TUDALEN ATEBION

Tudalen 64

Mwydyn A – 2
Mwydyn B – 3
Mwydyn C – 1

Diolch!

Tudalen 66–67

Y bwystfil yw'r Crancafanc!

Tudalen 78–79

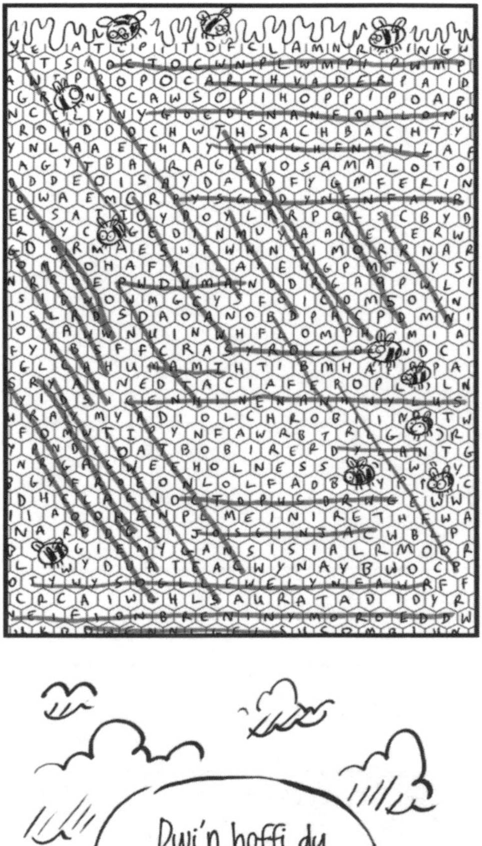

Tudalen 80

Mae ffeit enfawr ar y cae rygbi! Ond mae'r dyfarnwr, Owen Nigels, wedi colli ei chwiban, ei gardiau a'r bêl! Allwch chi helpu Owen druan i ffeindio'i eiddo pwysig!
RUDU

Dwi'n hoffi dy estyniad newydd!

Hefyd o'r Lolfa

£4.95

Am restr gyflawn o lyfrau'r Lolfa, mynnwch
gopi am ddim o'n catalog
neu hwyliwch i mewn i'n gwefan

www.ylolfa.com

lle gallwch archebu llyfrau ar-lein.

y Lolfa

TALYBONT CEREDIGION CYMRU SY24 5HE
ebost ylolfa@ylolfa.com
gwefan www.ylolfa.com
ffôn 01970 832 304
ffacs 832 782